18 mai 1910

CW00554980

VENTE

Du Mercredi 18 Mai 1910

HOTEL DROUOT, SALLE N° I

A DEUX HEURES PRÉCISES

🜊

TABLEAUX

ANCIENS ET MODERNES

AQUARELLES, DESSINS, PASTELS

Mᵉ HENRI BAUDOIN

COMMISSAIRE-PRISEUR

Successeur de M. Paul CHEVALLIER

MM. G. SORTAIS et P. SIMONS

EXPERTS PRÈS LE TRIBUNAL CIVIL
DE LA SEINE

CATALOGUE

DES

TABLEAUX

ANCIENS ET MODERNES

PAR

BARON, E. DE BEAUMONT, ROSA BONHEUR, F. BONVIN, BRAKENBURG,
BREUGHEL DE VELOURS, J.-L. BROWN, G. COURBET,
DROUAIS, FRAGONARD, J.-L. FRANÇAIS, J. DE LAJOUE, J.-P. LAURENS,
C. VAN LOO, MONNET, DE NEUVILLE, A. PAJOU,
J. PILLEMENT. A. STEVENS, J. VERNET, VEYRASSAT, S. DE VLIEGER
WALKER, WEENYX, ETC.

Aquarelles, Dessins, Pastels

PAR

BALTARD, BERTOLI, VAN BLŒMEN, ROSA BONHEUR, DAUZATS, FORAIN,
CONSTANTIN GUYS, HESSE, L. LELOIR,
MEISSONIER, H. MONNIER, G. MOREAU, P. RENOUARD, ETC.

Et dont la Vente aux enchères publiques aura lieu, à Paris

HOTEL DROUOT, SALLE N° 1

LE MERCREDI 18 MAI 1910

à deux heures précises

| Me HENRI BAUDOIN | MM. G. SORTAIS & P. SIMONS |

Me HENRI BAUDOIN   MM. G. SORTAIS & P. SIMONS

COMMISSAIRE-PRISEUR   EXPERTS PRÈS LE TRIBUNAL CIVIL
Successeur de M. Paul CHEVALLIER   DE LA SEINE
10, rue Grange-Batelière   11, rue Scribe | 23, rue des Martyrs

EXPOSITION PUBLIQUE

Le Mardi 17 Mai 1910, de deux heures à six heures

Don S. de Ricc

CONDITIONS DE LA VENTE

Elle sera faite au comptant.

Les adjudicataires paieront *dix pour cent* en sus des enchères.

L'exposition mettant le public à même de se rendre compte de l'état et de la nature des objets, aucune réclamation ne sera admise une fois l'adjudication prononcée.

Paris. — Imp. de l'Art, Ch. Berger, 41, rue de la Victoire.

101

d, 31,500 —

DÉSIGNATION

TABLEAUX
ANCIENS ET MODERNES

ALIGNY

1 — *Paysage montagneux.*

Toile. Haut., 38 cent.; larg., 47 cent.

BARON (Henri)

2 — *La Source.*

Signé en bas et au milieu : *H. Baron.*
Panneau en bois. Haut., 8 cent. 1/2; larg., 8 cent.

39,—

BEAUMONT (E. de)

3 — *Le Docteur Faust, Vision d'un savant.*

Toile. Haut., 23 cent.; larg., 27 cent.

5o,

BONHEUR (Rosa)

4 — *Combat de chevaux.*

Préparation à l'essence.

Toile. Haut., 36 cent.; larg., 53 cent.

BONHEUR (Rosa)

5 — *Chevreuil couché.*

Toile. Haut., 49 cent.; larg., 65 cent.

BONVIN (François)

6 — *Femme debout.*

Signé au centre, à gauche et daté.

Panneau en bois. Haut., 37 cent.; larg., 25 cent.

BOUCHER (École de)

7 — *Dessus de porte : Amours cueillant des fleurs dans un paysage.*

Toile. Haut., 78 cent.; larg., 1 mètre.

BOUCHER (Attribué à François)

8 — *Le Rhône.*

Figure allégorique.

Toile. Haut., 1 m. 46 cent.; larg., 1 m. 12 cent.

Cadre Louis XVI en bois sculpté et doré.

BOUCHER (Attribué à François)

9 — *La Saône.*

Figure allégorique.
Pendant du précédent.

Toile. Haut., 1 m. 46 cent.; larg., 1 m. 12 cent.

Cadre Louis XVI en bois sculpté et doré.

BOURDON (Sébastien)

10 — *Portrait d'un Seigneur.*

> Toile. Haut., 65 cent.; larg., 58 cent.
> Cadre en bois sculpté.

BRAKENBURG

11 — *La Dispute des commères.*

> Toile. Haut., 50 cent.; larg., 62 cent.

BREUGHEL DE VELOURS
ET
ROTTENHAMMER (Jean)

12 — *Diane et Actéon.*

> Dans un paysage, près d'une fontaine architecturale,
> Diane et ses nymphes sont surprises par Actéon qui
> revient de la chasse.
> Peinture sur cuivre.
>
> > Haut., 22 cent.; larg., 29 cent.

BROWN (John Lewis)

13 — *La Jument de M. G.*

> Signé et daté à droite : *John Lewis Brown, 1873.*
> Toile. Haut., 39 cent.; larg., 46 cent.

BRUN (N. A.)

14 — *Le Médecin. — Le Vétérinaire.*

> Deux pendants.
>
> > Toiles. Haut., 38 cent.; larg., 46 cent.

BUSSON (Ch.)

15 — *Paysage animé.*

Panneau en bois. Haut., 37 cent.; larg.. 46 cent.

CHARDIN (École de)

16 — *Portrait de Femme.*

Toile marouflée sur panneau.

Haut., 62 cent.; larg., 45 cent.

CIMABUE (École de)

17 — *Saint en méditation.*

Panneau en bois. Haut., 19 cent.; larg., 12 cen¹.

COURBET (Gustave)

18 — *Le Ruisseau.*

Toile. Haut., 40 cent.; larg., 55 cent.

CUYP (D'après Gerritsz)

19 — *Portrait de deux Enfants.*

Toile. Haut., 97 cent.; larg., 1 m. 15 cent.

DAMERON (Émile)

20 — *La Tour Montbard (Côte-d'Or).*

Signé et daté en bas à gauche : *Montbard, 1900.*

Haut., 65 cent.; larg., 46 cent.

(Provient de la vente de l'atelier de l'artiste.)

25

DAVID (École de Jacques-Louis)

21 — *Portrait de Femme.*

Toile. Haut., 46 cent.; larg., 38 cent.

DEMARNE (Attribué à)

22 — *Le Pâturage.*

Bois. Haut., 16 cent. ; larg , 17 cent.

DREUX (D'après Alfred de)

23 — *Portrait équestre du colonel Fleury.*

Toile. Haut., 1 m. 32 ; larg., 1 mètre.

DROUAIS (D'après)

24 — *Les Enfants de France.*

Copie ancienne.

Toile. Haut., 77 cent. ; larg., 1 m. 15.

DROUAIS (Hubert le fils)

25 — *Portrait de Femme.*

Vue de face, vêtue d'un corsage de soie bleue et d'un collet orné de dentelles.

Toile ovale. Haut., 75 cent.; larg , 62 cent.

Cadre en bois sculpté et doré.

DUCQ (Jean Le)

26 — *La Jolie Courtisane.*

Un jeune homme, le pourpoint de buffle entr'ouvert et portant une culotte rose, enlace une courtisane vêtue de blanc et de bleu, tandis qu'une servante verse un breuvage dans une coupe que lui tend ce dernier. D'autres personnages les entourent. A droite, un chien et des instruments assemblés en désordre. Au fond, un buveur devant une table et adossé à un lit.

Bois. Haut., 59 cent.; larg., 69 cent.

ÉCOLE ALLEMANDE

27 — *Martyre de Saint Pierre.*

Panneau en bois. Haut., 76 cent.; larg., 68 cent.

ÉCOLE ALLEMANDE

28 — *Jésus suivi de ses disciples se présente aux portes de Jérusalem.*

Panneau en bois. Haut., 63 cent.; larg., 67 cent.

ÉCOLE ALLEMANDE

29 — *Scène de la vie de Saint Pierre.*

Bois. Haut., 94 cent.; larg., 64 cent.

ÉCOLE FLAMANDE

30 — *La Partie de cartes.*

Groupés autour d'une table, deux personnages jouent aux cartes, tandis que deux autres les regardent. L'un d'eux joue d'un instrument.

Fond de paysage.

Toile. Haut., 47 cent.; larg., 56 cent.

Cadre en bois sculpté et doré.

ÉCOLE FLORENTINE

31 — *La Vierge au raisin*.

Panneau en bois. Haut., 49 cent.; larg., 37 cent.

ÉCOLE FRANÇAISE

32 — *Pastorale*.

Panneau en bois. Haut., 28 cent.; larg., 34 cent.

ÉCOLE FRANÇAISE

33 — *Portrait d'un Gentilhomme*.

Toile ovale. Haut., 65 cent ; larg., 56 cent.
Cadre ancien.

ÉCOLE FRANÇAISE

34 — *Portrait d'une Dame de qualité*.

Toile ovale. Haut., 65 cent.; larg., 56 cent.
Cadre ancien.

ÉCOLE FRANÇAISE

35 — *La Toilette*.

Panneau en bois. Haut., 24 cent.; larg., 18 cent.

ÉCOLE FRANÇAISE

36 — *Portrait d'un Guerrier*.

Peinture sur cuivre, ovale.

Haut., 13 cent.; larg., 10 cent.

ÉCOLE FRANÇAISE (xviie siècle)

37 — *Sainte Madeleine en méditation.*

> Toile. Haut., 44 cent.; larg., 37 cent.

ÉCOLE FRANÇAISE

38 — *Un Miséreux.*

> Toile. Haut., 27 cent.; larg., 35 cent.

ÉCOLE FRANÇAISE

39 — *Portrait d'Homme.*

En habit amaranthe, le tricorne sous le bras.

> Toile. Haut., 55 cent.; larg., 46 cent.

ÉCOLE FRANÇAISE

40 — *Portrait de Gentilhomme.*

De trois quarts à gauche, il est vêtu d'un habit gris
foncé. Il tient son tricorne sous son bras gauche, tandis
que de la main droite il vient de prendre une prise dans
une tabatière entr'ouverte.

> Toile. Haut., 75 cent.; larg., 64 cent.

Cadre en bois sculpté.

ÉCOLE FRANÇAISE

41 — *La Toilette de la soubrette.*

> Toile. Haut., 80 cent.; larg., 60 cent.

ÉCOLE FRANÇAISE

42 — *Attributs d'architecture.*

> Toile. Haut., 1 m. 03 cent.; larg., 80 cent.
> Cadre en bois sculpté.

ÉCOLE FRANÇAISE (xviiie siècle)

43 — *M. de Pontchartrain.*

> Toile. Haut., 73 cent. ; larg., 58 cent.
> Cadre en bois sculpté.

ÉCOLE FRANÇAISE

44 — *Portrait d'Homme.*

> Toile ovale. Haut., 58 cent.; larg., 48 cent.

ÉCOLE FRANÇAISE

45 — *Portrait d'un Chef d'escadron (Campagne d'Algérie).*

> Toile. Haut., 81 cent.; larg., 65 cent.

MOLENAER (Nicolas)

46 — *Le Vieux Château.*

> Des villageois causent au pied de ruines recouvertes de mousse, et entourées de grands arbres.
>
> Bois. Haut., 41 cent.; larg., 36 cent.

ÉCOLE HOLLANDAISE

47 — *Plage à Scheveningue.*

>> Panneau en bois. Haut., 38 cent.; larg., 49 cent.

ÉCOLE HOLLANDAISE

48 — *La Jeune Femme au chien.*

>> Panneau en bois. Haut., 22 cent.; larg., 17 cent.
>> Cadre en bois sculpté.

ÉCOLE ITALIENNE

49 — *Naufrage.*

>> Toile. Haut., 90 cent.; larg., 1 m. 10 cent.
>> Cadre en bois sculpté et doré.

ÉCOLE ITALIENNE

50 — *Saint-Sébastien.*

>> Toile. Haut., 1 m. 17 cent.; larg., 1 m. 48 cent.

ÉCOLE ITALIENNE

51 — *Portrait d'un Donateur.*

>> Panneau en bois. Haut., 36 cent.; larg., 33 cent.

ÉCOLE ITALIENNE

52 — *Nature morte.*

>> Toile. Haut., 93 cent.; larg., 1 m. 10 cent.
>> Cadre en bois sculpté.

ÉCOLE ITALIENNE (xviiie siècle)

53 — *Le Bassin.*

> Panneau décoratif.
>
>> Toile. Haut., 75 cent.; larg., 1 m. 30 cent.
>
> Cadre en bois sculpté.

ÉCOLE ITALIENNE (xviiie siècle)

54 — *Le Vieux Pont.*

> Panneau décoratif.
> Pendant du précédent.
>> Toile. Haut., 80 cent.; larg., 1 m. 26 cent.
>
> Cadre en bois sculpté.

ÉCOLE ITALIENNE

55 — *La Fuite en Égypte.*

>> Toile. Haut., 52 cent.; larg., 38 cent.

ÉCOLE TOSCANE

56 — *L'Homme au turban.*

>> Toile. Haut., 58 cent ; larg., 46 cent.

FRAGONARD (Jean-Honoré)

57 — *L'Homme au turban.*

> Pastiche dans la manière de Rembrandt, orné de
> perles.
> Signé au centre à droite : *Frago.*
>> Toile. Haut., 56 cent.; larg , 46 cent.

FRANÇAIS (F.-L.)

58 — *Vallée de Rossillon (Ain).*

Signé en bas à droite : *Français, 58.*

Panneau en bois. Haut., 35 cent. 1/2 ; larg., 48 cent.

FRANÇAIS (F.-L.)

59 — *La Fontaine du Jardin Boboli, à Florence.*

Signé en bas à droite et daté : *1846.*

Toile. Haut., 43 cent.; larg., 58 cent.

GEGERFELT (W. DE)

60 — *Marine, effet de soleil, vue de Hollande.*

Signé en bas à droite : *W. de Gegerfelt, 75.*

Panneau en bois. Haut., 13 cent.; larg., 17 cent.

GOYEN (VAN)

61 — *Le Château.*

Au bord d'une rivière, des embarcations sillonnent les ondes. A gauche, derrière les remparts d'une route montante, un château se détache sur un ciel nuageux.

Bois. Haut., 47 cent.; larg., 63 cent.

GREUZE (D'après J.-B.)

62 — *La Jeune Femme à l'épagneul (Portrait de Madame de Porcin).*

Toile ovale. Haut., 81 cent.; larg., 65 cent.

HERLE (Guillaume de)

63 — *Figure de sainte en pied.*

Bois. Haut., 1 m. 58 cent.; larg., 69 cent.

HOPPNER (École de Jean)

64 — *Portrait de Femme.*

Toile. Haut., 61 cent.; larg., 60 cent.

HOREMANS

65 — *Intérieur de taverne.*

Toile. Haut., 36 cent.; larg., 42 cent.

JOLLAIN

66 — *Glorification d'une sainte.*

Toile. Haut., 55 cent.; larg., 30 cent.

Cadre en bois sculpté.

LAJOUE (Jacques de)

67 — *L'Astronomie.*

Panneau décoratif.

Toile. Haut., 1 m. 05 cent.; larg., 1 m. 28 cent.

Cadre en bois sculpté.

LAJOUE (Jacques de)

68 — *L'Architecture.*

Panneau décoratif.

Pendant du précédent.

Toile. Haut., 1 m. 05 cent.; larg., 1 m. 28 cent.

Cadre en bois sculpté.

2

LAURENS (JULES)

69 — *Capri vu de Portici.*

> Signé au bas à droite.

>> Toile. Haut., 27 cent. ; larg., 41 cent.

LAURENS (JEAN-PAUL)

70 — *L'Antichambre de Monseigneur.*

> Signé en bas à gauche : *J.-Paul Laurens.*

>> Toile. Haut., 65 cent.; larg., 85 cent.

LAURENS (JEAN-PAUL)

71 — *Devant la tiare.*

> Signé en bas à gauche : *J.-Paul Laurens.*

>> Panneau parqueté. Haut., 58 cent.; larg., 44 cent.

LAURENS (JEAN-PAUL)

72 — *Moine prédicant.*

> Signé en bas à droite.

>> Toile. Haut., 42 cent.; larg., 25 cent.

LEMAIRE (MADELEINE)

73 — *Portrait du Prince Poniatowski.*

> Signé en bas à droite : *Madeleine Lemaire.*

>> Toile. Haut., 1 m. 20 cent. ; larg., 98 cent.

LE POITTEVIN (LOUIS)

74 — *Le Cloître de Léon, près Dinan.*

>> Toile. Haut., 65 cent.; larg., 92 cent.

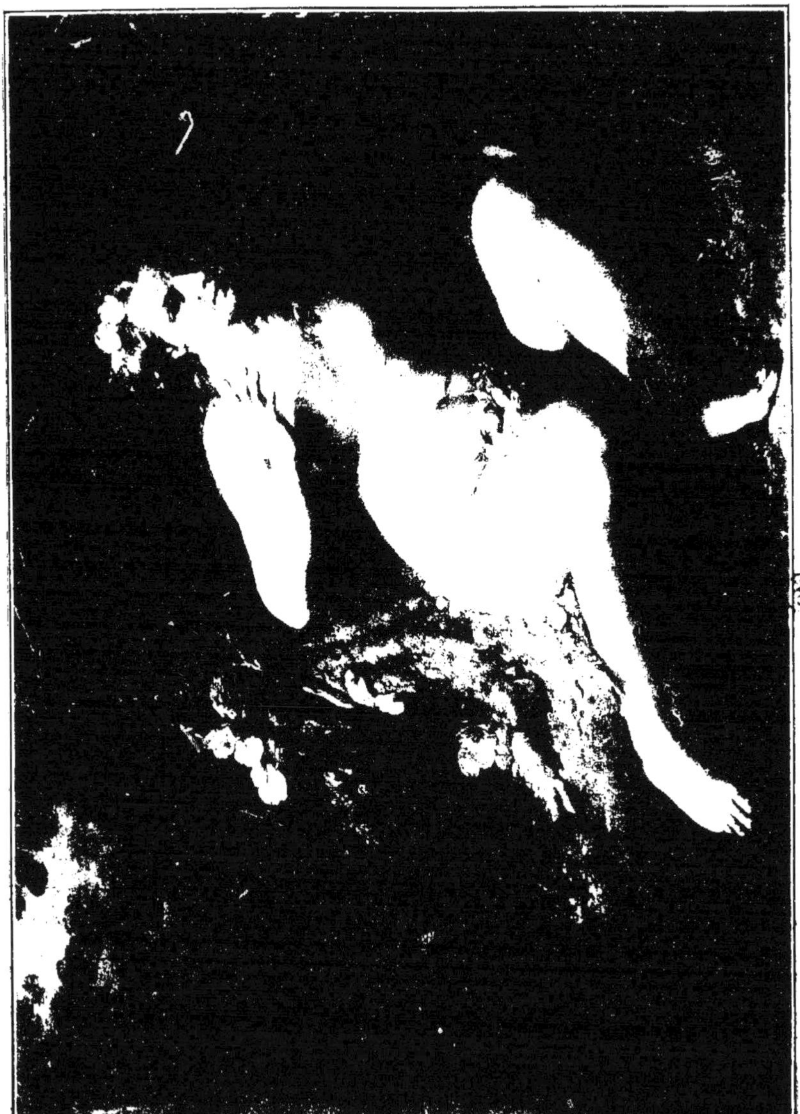

VAN LOO (Carle)

75 — *Ève dans le Paradis terrestre.*

Ève est assise au pied d'un arbre, au milieu d'une
végétation luxuriante. Elle écoute, émue et craintive.
Dans le fond du paysage, Adam est assoupi.

Toile. Haut., 58 cent. ; larg., 72 cent.

Cadre Louis XVI en bois sculpté et doré.

VAN LOO (Carle)

76 — *La Nonne et le Capucin.*

Ce tableau sera vendu dans la boîte qui le renferme.

Toile. Haut., 65 cent.; larg., 56 cent.

MAAS (École de Nicolas)

77 — *La Ménagère.*

Accoudée sur un entablement de fenêtre, elle vide le
contenu d'un vase.

Bois. Haut., 23 cent.; larg., 17 cent.

MAAS (École de Nicolas)

78 — *Portrait d'une dame de qualité.*

Toile. Haut., 54 cent.; larg., 46 cent.

Cadre en bois sculpté.

MANS

79 — *Effet de neige.*

Une rivière serpente dans la campagne couverte de
neige. Au fond, la silhouette d'un village par un soleil
couchant. Des paysans vaquent à leurs travaux jour-
naliers.

Toile. Haut., 41 cent.; larg., 47 cent.

MIGNON (ABRAHAM)

80 — *Fleurs et Fruits.*

Des roses, des groseilles, des œillets s'échappent d'un massif, au pied d'un pêcher chargé de ses fruits et se détachant sur un paysage assombri.

Signé en bas à droite.

Toile. Haut., 66 cent.; larg., 55 cent.

MONNET (C.)

81 — *Le Porteur d'eau.*

Sur une place publique, près d'une fontaine, un jeune porteur d'eau s'apprête à remplir ses seaux. Au second plan, un garçonnet étanche sa soif.

Signé en bas à gauche : *C. Monnet.*

Panneau en bois. Haut., 27 cent.; larg., 20 cent. 1/2.

MOYNET

82 — *Panneau décoratif : Fleurs.*

Signé en bas à gauche.

Toile. Haut., 2 m. 10 cent.; larg., 1 m. 50 cent.

NEUVILLE (ALPHONSE DE)

83 — *Un Coin de l'église de Pierrefonds.*

Signé en bas à gauche : *A. de Neuville, Pierrefonds, 77.*

Panneau en bois. Haut., 24 cent.; larg., 14 cent.

OSTADE (Attribué à ADRIEN VAN)

84 — *Jeune mère tenant un enfant sur ses genoux.*

Bois. Haut., 27 cent.; larg., 22 cent.

OUDRY (École de J.-B.)

85 — *Chien de chasse en arrêt devant une perdrix rouge.*

Toile. Haut., 71 cent.; larg., 83 cent.

PAJOU LE FILS (J. A. C.)

86 — *Marie-Antoinette, emmenée de la prison du Temple pour être transférée à la Conciergerie.*

(Esquisse du tableau de l'artiste exposé au Salon de 1817).

Panneau en bois. Haut., 29 cent.; larg., 37 cent.

Cadre en bois sculpté et doré.

PANINI

87 — *Personnages au milieu de ruines.*

Panneau en bois. Haut., 43 cent.; larg., 32 cent.

PIAZZETTA

88 — *Jeune Marchand de volailles.*

Toile. Haut., 52 cent.; larg., 38 cent.

PIAZZETTA

89 — *Intérieur de forge.*

Peinture sur cuivre.

Portant au dos le cachet de l'Académie royale des Beaux-Arts de Venise.

Haut., 23 cent.; larg., 15 cent.

Cadre Louis XIV en bois sculpté.

PILLEMENT (Jean)

90 — *Paysage.*

> Sur un tertre sablonneux, éclairé par un rayon de so-
> leil, une bergère tenant sa quenouille garde un trou-
> peau de chèvres et de moutons; un cours d'eau s'éche-
> lonne en cascade entre deux rives boisées et s'étend
> dans le lointain, baigné de vapeurs roses glissant sur
> un ciel bleu.

> Signé et daté en bas à gauche : *Jean Pillement, 1788.*

> Toile. Haut., 61 cent.; larg., 85 cent.

Cadre en bois doré.

PILLEMENT (Jean)

91 — *La Tempête.*

> Des naufragés se sont réfugiés sur des rochers battus
> par une mer démontée. Au centre, une barque désem-
> parée achève de sombrer. Au fond, sur la gauche, une
> goëlette est en perdition. Plus loin, la silhouette d'une
> jetée avec son phare.

> Signé et daté en bas à gauche : *Jean Pillement, 1788.*

> Toile. Haut., 61 cent.; larg., 85 cent.

Pendant du précédent.
Cadre en bois doré.

PORION (C.), 1876

92 — *Portrait du Prince Impérial.*

> Toile ovale. Haut., 60 cent.; larg., 50 cent.

PORION (C.)

93 — *Portrait équestre du Prince Impérial.*

> Toile. Haut., 65 cent.; larg., 54 cent.

PRUDHON (P.-P.)

94 — *La Justice et la Vengeance divine poursuivant le crime*.

Toile. Haut., 43 cent.; larg., 54 cent.

SANZIO (D'après Raphaël)

95 — *La Vierge à l'œillet*.

Panneau en bois. Haut., 33 cent.; larg., 26 cent.
Cadre ancien en bois sculpté.

RICHE (C.)

96 — *Le Passage du Gué*.

Panneau en bois. Haut., 23 cent.; larg., 32 cent.

ROËLOFS (W.)

97 — *Vaches à l'abreuvoir. — Paysage*.

Panneau en bois. Haut., 23 cent.; larg., 34 cent.

ROSA (Salvator) ET VIVIANO

98 — *Parvis d'une Cathédrale*.

Toile. Haut., 64 cent ; larg., 51 cent.

RUYSDAEL (École de)

99 — *Coucher de soleil*.

Au premier plan, au milieu d'un paysage agrémenté de rochers, se dresse un bouquet d'arbres. Dans le fond, un château est bâti sur une colline. A l'arrière plan, des montagnes se détachent sur les nuages dorés par un soleil couchant.

Toile. Haut., 1 m. 24 cent.; larg., 1 m. 05 cent.

RUYSDAEL (École de Salomon)

100 — *Cavalier se dirigeant vers une rivière à l'entrée d'un bois.*

Panneau en bois. Haut., 57 cent.; larg., 75 cent.

SCHALL (Attribué à)

101 — *Le Galant entreprenant.*

Panneau en bois. Haut., 20 cent. 1/2; larg., 55 cent. 1/2.
Cadre en bois sculpté et doré.

SENAVE (G.)

102 — *L'Antiquaire.*

Dans un intérieur près d'une table portant de nombreux bibelots, le vieil antiquaire déchiffre un manuscrit.
Signé en bas à gauche : *G. Senave.*
Panneau en bois. Haut., 40 cent. 1/2; larg., 32 cent. 1/2.

STEVENS (Alfred)

103 — *Tête de jeune femme de profil vers la gauche.*

Signé du monogramme de l'artiste en bas à gauche.
Panneau en bois. Haut., 19 cent.; larg., 15 cent.

LE TITIEN (D'après)

104 — *Danaé.*

Toile. Haut., 77 cent.; larg., 1 m. 08 cent.

VANHOVE (H.)

105 — *Intérieur hollandais.*

Signé en bas à droite.
Panneau en bois. Haut., 25 cent.; larg., 20 cent.

VERNET (Joseph)

106 — *Le Ruisseau.*

Dans un paysage encaissé au bord de l'eau, **deux per-**
sonnages pêchent à la ligne.

Toile. Haut., 28 cent.; larg., 35 cent.

VEYRASSAT (J.)

107 — *Le Chemin de halage.*

Signé au bas à gauche : *J. Veyrassat.*

Panneau en bois. Haut., 9 cent.; larg., 7 cent.

VIEN (Joseph)

108 — *Nymphes et Amours.*

Peinture sur papier.

Haut., 28 cent.; larg., 35 cent.

WALKER (J.-E.), 1850

109 — *La Lettre d'amour.*

Deux femmes en toilette décolletée sont assises dans
un parc. L'une d'elles communique à l'autre une lettre
qu'elle tient de la main gauche.
Signé en bas à droite : *J.-E. Walker, 1850.*

Toile. Haut., 36 cent.; larg., 46 cent.

WATTEAU (D'après Antoine)

110 — *Concert champêtre.*

Toile. Haut., 45 cent.; larg., 55 cent.

Cadre en bois sculpté.

WEENYX

111 — *Chienne défendant ses petits à l'entrée d'un parc.*

WOUWERMAN (École de Philippe)

112 — *Halte militaire.*

A l'entrée d'un village, des chevaux campent devant des tentes dressées. Un officier à cheval donne des ordres.

Bois. Haut., 60 cent.; larg., 80 cent.

113 — Un lot de cadres en bois sculpté et doré. (Sera divisé.)

AQUARELLES, DESSINS

PASTELS, GRAVURES

BALTARD (Louis-Pierre)

114 — *Vue du Panthéon.*

> Devant le monument, des carrosses et des prome-
> neurs ; à droite, un chantier de pierres de taille.
> Dessin au lavis d'encre de Chine.
>
> > Haut., 32 cent. ; larg., 41 cent.

BELLANGÉ (Hippolyte), 1832

115 — *Épisode des guerres du Premier Empire.*
> Lithographie coloriée.
>
> > Haut., 20 cent. 1/2 ; larg , 29 cent. 1/2.

BERTOLI (Daniel-Antoine)

116 — *Personnage de comédie.*

> Dessin au lavis d'encre de Chine, lavé d'aquarelle.
> Signé en bas à gauche : *A.-D. Bertoli, f.*
>
> > Haut., 29 cent. ; larg., 19 cent.

BERTOLI (Daniel-Antoine)

117 — *Personnage de ballet.*

> Dessin au lavis d'encre de Chine, lavé d'aquarelle.
>
> > Haut., 36 cent. ; larg., 24 cent.

BERTOLI (Daniel-Antoine)

118 — *Personnage de comédie.*

Dessin au lavis d'encre de Chine, lavé d'aquarelle.
Signé en bas à droite : *Bertoli, f.*

Haut., 32 cent. ; larg., 22 cent.

BLŒMEN (Van)

119 — *Paysan et son chien.*

Dessin lavé à l'encre de Chine.

Haut., 15 cent. ; larg., 19 cent.

BONHEUR (Rosa)

120 — *Les Bruyères. Forêt de Fontainebleau.*

Aquarelle.
Signée en bas à droite : *Rosa Bonheur.*
Au dos, le cachet de la vente 1900.

Haut., 30 cent. ; larg., 40 cent.

CHAPLAIN (Jules-Clément)

121 — *Portrait de J.-L.-Ernest Meissonier.*

Médaillon en bronze.

Rond, 45 cent. de diamètre.

COROT (Attribué à)

122 — *Paysage.*

Dessin au fusain.

Haut., 16 cent. ; larg., 46 cent.

DAUZATS

123 — *L'Église Saint-Jean-Baptiste. — Rue Moyenne à Troyes; plus loin Saint-Urbain et la cathédrale Saint-Pierre.*

> Dessin à la mine de plomb.
> En bas, à gauche, le cachet de la *Vente Dauzats.*
>
> Haut., 43 cent. ; larg., 28 cent.
>
> Cadre en bois sculpté et doré.

DAUZATS

124 — *Constantinople.*

> Dessin à la mine de plomb.
>
> Haut., 26 cent.; larg., 37 cent.

DAVID

125 — *Page de croquis.*

> Dessin à la plume.
>
> Haut., 22 cent.; larg., 25 cent.

DEDREUX-DORCY

126 — *La Fillette à l'épagneul.*

> (D'après Greuze)
>
> Pastel.
>
> Haut., 46 cent. ; larg., 37 cent.
>
> Cadre en bois sculpté et doré.

DONATELLO (Attribué à)

127 — *Page de croquis.*

> Dessin à la plume.
>
> Haut., 19 cent.; larg., 31 cent.

ÉCOLE FRANÇAISE (1758)

128 — *Façade d'un palais.*

Dessin à la sanguine, rehaussé de plume.

Haut., 40 cent.; larg., 56 cent.

ÉCOLE FRANÇAISE

129 — *Faunes et Bacchantes.*

Dessin à la plume et au lavis d'encre de Chine, rehaussé de gouache.

Haut., 21 cent.; larg., 30 cent.

ÉCOLE FRANÇAISE

130 — *Deux projets de sculpture.*

Dessins à la mine de plomb.

Dimension du carton : Haut., 48 cent.; larg., 30 cent.

ÉCOLE FRANÇAISE

131 — *Portrait de Femme.*

Pastel.

Rond. Diamètre, 19 cent.

ÉCOLE FRANÇAISE

132 — *Portrait d'un officier de dragons.*

Pastel.

Haut., 65 cent.; larg., 53 cent.

ÉCOLE FRANÇAISE

133 — *Le Forum.*

Aquarelle.

Haut., 20 cent.; larg., 31 cent.

ÉCOLE FRANÇAISE

134 — *Projet d'un monument.*

Dessin à la mine de plomb.

Haut., 33 cent.; larg., 22 cent.

ÉCOLE FRANÇAISE

135 — *Dessin à la sanguine.*

Haut., 24 cent.; larg., 19 cent.

ÉCOLE FRANÇAISE

136 — *Le Concert.*

Dessin à la sanguine, lavé à la sépia.

Haut., 14 cent.; larg., 18 cent.

ÉCOLE FRANÇAISE

137 — *Projet de Fontaine décorative.*

Dessin à la plume et au lavis d'encre de Chine.

Haut., 38 cent.; larg., 29 cent.

FORAIN (J.-L.)

138 — *Les Coulisses de l'Opéra.*

Dessin à la plume et au lavis d'encre de Chine, rehaussé d'aquarelle.

Haut., 25 cent.; larg., 35 cent.

GARBIZZA

139 — *La Malmaison.*

Dessin à la plume et au lavis d'encre de Chine.

Haut., 17 cent.; larg., 25 cent.

GOUERCHINA

140 — *Dessin à la plume et au lavis d'encre de Chine.*

Signé en bas à droite.

Haut., 33 cent.; larg., 27 cent.

GREVEDON

141 — *Portrait de Jeune femme.*

Dessin au crayon conté.

Haut., 36 cent.; larg., 26 cent.

GUYS (Constantin)

142 — *Lorette en promenade.*

Dessin lavé à l'encre, rehaussé d'aquarelle.

Haut., 23 cent. ; larg., 15 cent.

GUYS (Constantin)

143 — *La Lorette au tablier.*

Dessin lavé à l'encre de Chine, rehaussé d'aquarelle.

Haut., 20 cent.; larg., 14 cent.

HESSE

144 — *Portrait de Jeune femme vue de face.*

Sépia.
Signé et daté en bas à droite : *1816.*

Haut., 18 cent.; larg., 15 cent.

INGRES (Attribué à)

145 — *Femme nue vue de dos.*

Dessin à la mine de plomb.

Haut., 24 cent.; larg., 18 cent.

LEGRAND (R.)

146 — *Une Meute accouplée et piqueurs.*

Dessin au crayon conté, rehaussé d'aquarelle.

Haut., 19 cent.; larg., 30 cent

LELOIR (Louis)

147 — *A l'instar du bon roi Henri.*

Importante aquarelle.
Signée en bas à droite : *Louis Leloir.*
Dédicacée : *A mon ami Jacquet.*

Haut., 47 cent.; larg., 65 cent.

MEISSONIER

148 — *Portrait de l'artiste par lui-même.*

Il est assis, dessinant au coin d'une table.
Dessin aquarellé.
A droite, le timbre de la vente.

Haut., 27 cent. 1/2 ; larg., 21 cent.

MEISSONIER

149 — *Napoléon, Officiers et soldats du Premier Empire.*

Trois croquis à la plume, dans un même cadre.
Signés du timbre de la vente.

Dimensions du carton : Haut., 57 cent.; larg., 31 cent. 1/2.

MEISSONIER

150 — *Venise.*

Aquarelle.
A gauche, le timbre de la vente.

Haut., 37 cent.; larg., 26 cent. 1/2.

MEISSONIER

151 — *Deux croquis à la plume dans un même cadre.*

> 1º Deux personnages assis sur un talus, au pied d'un arbre ; 2º Un postillon à cheval allume sa pipe ; il mène un second cheval haut le pied.

Dimensions du carton : Haut., 29 cent.; larg., 37 cent.

MEISSONIER

152 — *Une Allée du jardin de Poissy.*

> Dessin à la sépia.
> Signé à droite du monogramme de l'artiste.

Haut., 12 cent.; larg., 18 cent.

MEISSONIER

153 — *Deux Cavaliers.*

> Dessin à la plume.

Dimensions du carton. Haut., 12 cent.; larg., 16 cent. 1/2.

MEISSONIER

154 — Étude pour « *le Matin de Castiglione* ».

> Dessin au crayon, repris en partie à l'encre. Rehaut de gouache.
> A droite, le timbre de la vente.

Panneau en bois. Haut., 22 cent.; larg., 37 cent.

MEYNIER

155 — *L'Embarquement à Carthage.*
> Sépia.

Haut., 59 cent.; larg., 70 cent.

MONNIER (Henri)

156 — *Monsieur Prud'homme.*

> Aquarelle.
> Signée et datée en bas à droite : *Henri Monnier, juin 1873.*
> Dédicacé. *A Mon ami Gil Pérez.*
>
> Haut., 22 cent.; larg., 18 cent.

MOREAU (Gustave)

157 — *M*ᴸˡᵉ *Subra, première danseuse. Ballet de* Sapho.

> Dessin à la mine de plomb.
> Signé en bas à droite : *Gustave Moreau.*
>
> Haut., 22 cent.; larg., 16 cent.

POIROT (Lucien)

158 — *Prière aux Saints.*

> Enluminure sur parchemin.
>
> Haut., 53 cent.; larg., 35 cent.

RENOUARD (Paul)

159 — *Devant la colonne Trajane.*

> Un groupe de touristes, la tête levée, écoutent les explications d'un guide.
> Dessin au crayon.
> Signé en haut à gauche.
>
> Haut., 24 cent. 1/2; larg., 35 cent.

RUBENS (D'après P.-P.)

160 — *Combat d'un lion et d'un serpent,*

> Dessin à la mine de plomb.
>
> Haut., 13 cent.; larg., 18 cent.

TISSOT (James)

161 — *Éventail*.

Aquarelle gouachée.

Long., 52 cent.; diam., 13 cent.

VIDAL (Eug.)

162 — *Le Ruisseau*.

Pastel.
Signé en bas à droite.

Haut., 50 cent.; larg., 75 cent.

VISCONTI (1828)

163 — *Frontispice pour un Album*.

Aquarelle.

Haut., 29 cent.; larg., 18 cent.

WALTNER

164 — *Portrait de Meissonier*, d'après Meissonier.

Eau-forte avant la lettre.
Épreuve sur Hollande, avec remarque.

165 — Sous ce numéro, les tableaux et dessins
omis au Catalogue.

RED. :

21

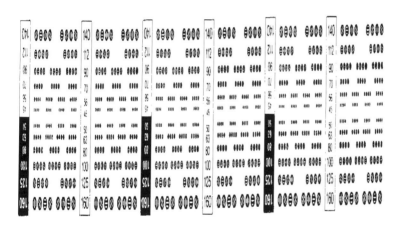

MIRE ISO N° 1
NF Z 43-007
AFNOR
Cedex 7 - 92080 PARIS-LA-DÉFENSE

379.80.70
graphicom

0 1 2 3 4 5 6 7 8 9 10

BIBLIOTHEQUE NATIONALE DE FRANCE

****

CHATEAU DE SABLE

1996

Imprimé en France
FROC031948250919
22251FR00013B/326/P

9 782329 333281